KU-385-392

誰搬走了我的乳酪？

Who Moved My Cheese？

醫學博士 史賓賽．強森◎著

游羽蓁◎譯

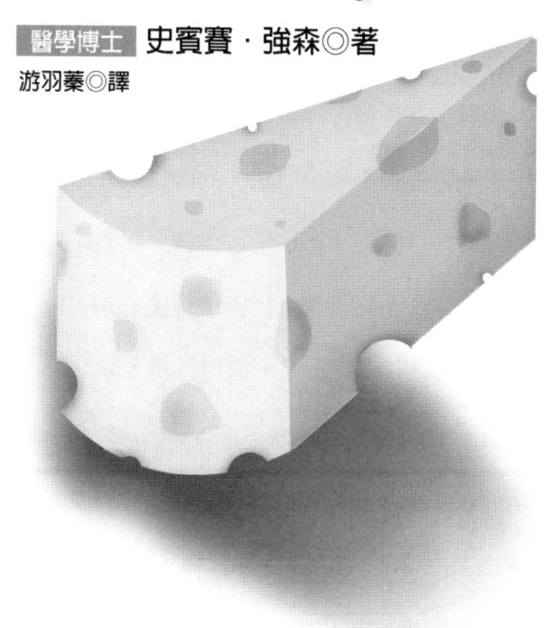

Who Moved My Cheese ?

這本書正被許多男男女女使用在處理生活或工作上所遭遇到的變化。使用本書的大小機構包括：ABBOTT研究所、BAUSCH&LOMB、BELL SOUTH、必治妥大藥廠、花旗銀行、CHASE MANHATTAN 金融機構、伊士曼柯達公司、EXXON、GEORGIA PACIFIC 公司、通用汽車公司、GOODYEAR輪胎公司、GREYHOUND公司、LUCENT 科技公司、MARRIOTT實業公司、MEADJOHNSON 公司、MOBII汽車公司、OCEANEERING、俄亥俄州大學、州農場、TEXTRON、TEXACO石油公司、惠而浦電子公司、全錄影印公司、教堂及醫院、政府機關、美國陸軍等。

Who Moved My Cheese？

CONTENTS

誰搬走了我的乳酪？

——一個在工作中或生活中處理變化的絕妙方法

・關於這本書・

誰搬走了我的乳酪？——

一個在工作中或生活中處理變化的絕妙方法

Who Moved My Cheese?

《誰搬走了我的乳酪？》是個簡單的寓言故事，內容充滿了人生中有關變化寓意深長的眞理。這是個有趣且能啓蒙智慧的故事，內容是在描述四個住在「迷宮」裡的人物，他們竭盡所能地在尋找能滋養他們身心、使他們快樂的「乳酪」的過程。

這四個小人物中，有兩隻是名叫「好鼻鼠」和「飛腿鼠」的老鼠；其他兩位則是身體大小和老鼠差不多的小人，名叫「猶豫」和「哈哈」，而且這兩個小人的外型與行爲和現今的人類差不多。

這裡所謂的「乳酪」是一種譬喻，它可以被當成我們生命中最想得到的東西。它可能是一份工作、人際關係、

金錢、財產、健康、心靈的寧靜。

書中所謂的「迷宮」，代表的是一個你花費時間與精力追尋你所欲求的東西的地方，它可以是你所服務的機構或你所居住的社區。

在故事裡，這些人物面臨到突如其來的變化。最後，他們之中有一個人成功地對這些變化做出適當的應變，並在迷宮的牆上寫下他改變自己的心路歷程及從中所得到的經驗。

當你看到那些牆上的標語時，你就能自己找出處理變化的方法，瞭解了這些方法，你就不會感受到太多壓力，並且能夠在生活中或工作中得到更多的成就感（不管你怎麼定義這些成就感和壓力）。

這本書適合任何的年齡層，而且閱讀這故事花費你不到一小時的時間，但其中獨特的眞知灼見卻能對你產生一輩子的影響力及幫助。

・序一・

真乳酪何處尋？

／王建煊

《誰搬走了我的乳酪？》這本書描寫人們在茫茫大海的世界迷宮裡，尋找如何達成設定目標應有的態度，所謂的設定目標就是書中所講的乳酪，也就是國人常講的我的「寶貝」或是現代人常講的我的「最愛」。

每個人的乳酪不盡相同，且因時空環境而常有改變。對一個貧苦的孩子來說，他的乳酪可能只是一塊巧克力或是一個簡單的玩具；對於一個大企業家來說，他現在的乳酪可能是百億元業績，未來的乳酪則是建立企業王國；高中生的乳酪在通過大專聯考；政治人物的乳酪則在高票連任；病人的乳酪應該是健康的身體。

人們追求的乳酪雖各有不同，且時有變化，但總體來說，多數人的乳酪仍然離不開「名」和「利」。這正如有人問一位老和尚，長江裡有幾條船，老和尚回答說二條，一條是「名」，一條是「利」一樣。因爲人生其他的乳酪可能都是爲贏取更多名、利而設的。這樣的說法如屬眞，人不過是追求名利的動物而已，身爲一隻終生爲名利而奮鬥的動物，做人又有什麼意義呢？做人總應該還有點別的「什麼」才對吧！

大家有沒有想過，當我們自己找到了乳酪，尤其是有很多乳酪時，心中有沒有一絲念頭，讓別人也來分享你的乳酪呢？你有沒有一顆感恩的心呢？還是說，你認爲這都是你努力的成果，是你自己的本領，你要獨享這得來不易的大塊乳酪呢？你眞的有辦法獨享嗎？你能獨享到何時呢？

這使我想起夏天的夜晚，路燈下常有成群的白螞蟻飛舞，有些見到我家客廳的燈光，就從紗窗縫隙處鑽進來，在客廳裡飛，我們就用扇子或報紙一類的東西把牠們打下來，用衛生紙捏死，進來一個捏死一個，客廳成了牠們的

墳場。白螞蟻並不知道那是牠們的葬身之地，卻因爲客廳燈光明亮，就以爲那是牠光明前程的所在，是有許多乳酪的地方，所以千方百計的爬進來，有的白螞蟻爬進來時連翅膀都擠掉了，只能在窗沿上爬，當然也被我們一隻隻捏死。

白螞蟻是如此，我們人又好到哪裡去呢？我們一輩子汗流滿面的在找乳酪，最後無論找到了多少乳酪，我們都會兩腿一伸的躺下來，那時什麼乳酪都得放下，沒有一塊乳酪是可以帶得走的！

所以人生在世，除了努力找乳酪以外，更要有與衆人分享乳酪的胸襟。我們一生除了爲自己或孩子打拚，也要分出一些時間與金錢，去爲那些我們不認識的人打拚，人生的意義才會更豐盛一點。

當然更重要的是要去尋找那肉眼看不見的永生乳酪，因爲俗世的乳酪，是看得見的乳酪，都是暫時的，都是帶不走的。當有一天我們的身體因爲終日尋找乳酪而倒下時，我們體內的生命又將去哪裡呢？

聖經約翰福音三章十六節說：「神愛世人，甚至將祂

的獨生子賜給他們，叫一切信祂的，不致滅亡，反得永生。」這節聖經是全部福音要旨的縮寫，神將永生的乳酪，清清楚楚的放在世人面前，要求全人類作出抉擇。

信耶穌得永生，是人們眞正的乳酪。《誰搬走了我的乳酪？》這本書在告訴大家如何找俗世的乳酪，我則提醒大家在尋找短暫的世間乳酪之餘，更不要忘了去尋找並得看那永生的乳酪，永生的乳酪才是眞乳酪。

＊本序文作者王建煊爲財團法人愛心第二春文教基金會董事長

·序二·

關於勇氣、決定及希望……

／王介安

曾經聽過一則故事。

一個六歲的小朋友，上了幼稚園大班，每個週末，都會依學校規定帶一樣玩具和同學交換，一星期之後再換回來。

這政策可說是學校的德政，因爲如此一來，可省去每個家庭要買一大堆玩具給小孩子玩的支出，家長當然樂，對小朋友來說，這項德政的前期，會讓每個人在每星期都快樂地擁有新鮮的玩具，但愈到後來，那些「該被交換的」玩具都換過了，剩下的都是「不該被交換的」，或許該說是「不捨得被交換的」。

又是一個週末的到來，一大早，這個小朋友蹲坐在家中的玩具箱前哭了起來。

「怎麼了？」媽媽立刻跑了過來。

小朋友依然哭紅了眼，十分不知所措。

當媽媽的似乎也能體會孩子的心情，鐵金鋼、超人、戰艦電動挖土機……一一地拿起來說服自己的孩子。

媽媽說：「這個好不好？」

孩子搖頭。

「這個呢？」

孩子還是含著淚搖頭。

「你看，無敵鐵金鋼也玩那麼久了，可以借同學也玩一下嘛！同學也會借給你不一樣的玩具呀!?」

孩子怔怔地看著媽媽，之後又搜尋了一下玩具箱裡的玩具，看看媽媽，再看看玩具。

終於，他抱起了一個機器人，媽媽笑了，他也笑了起來……

關於「決定」，是多麼難的一件事！

一切的一切，當你擁有的那麼理所當然的時候，決定「改變擁有」，是需要極大的勇氣。

人生，像是在走迷宮，你永遠不會知道未來會碰上什麼事。迷宮很大，突然你會滯留在其間的一角，就這般安身立命起來，而安身立命久了，年紀漸長，竟然也「懶得變動」，更大的一個原因是：沒有「勇氣」變動！

李文媛及大衛王是我在廣播界的兩位好友，文媛和我都在中廣流行網主持節目多年，後來她跳槽到了另一個電台，而David則是在ICRT多年被挖角到流行網主持節目，曾經和他們都聊到過這個話題。「不變」與「變」之間，存在的的確是「勇氣」，甚至還要有些「激情」。

「當我們只專注於眼前這片天空，你會覺得天空好大，倘使有一天，驀地回頭，你會發現身後有一片從沒見識過的天大地大」，這是李文媛說的。

我是個不太有勇氣的人，在同一個地方「安身立命」近十年，但總是很佩服那些面臨人生抉擇時還那麼

有勇氣的人。

作家張曼娟也曾毅然決然地放棄東吳大學的教職到香港中文大學任教，和她聊過當時的心情，她也認爲那是需要極大勇氣的，而且還得對未來充滿希望。對「未知的未來」充滿希望，這肯定是件苦差事！「有時候，我們往往覺得自己在一個環境中很重要，甚至休個兩三天假，都怕別人無法達成任務，公司彷彿會垮！這是很辛苦的。」張曼娟說出的這段話，雖然是你我都很容易了解的現象，但不諱言的是，我們身邊多少都充斥著這般「天生勞碌命的人」。

人的一生中，必定面臨許多「失去」的痛苦、「決定」的兩難、「失望」的無奈……，這和每個人對生命的視角有極大的關連。我很鍾愛這本書，它不僅把混沌的生活變得澄明一些，更用了一個很可愛的故事來舖陳，當中許多的隱喻和明示都頗耐人尋味。很可能你可以花很短的時間把此書讀完，也會覺得許多觀念你都明白，但在反覆咀嚼之後，更會發現新的體認。

人，眞的是極其矛盾的一種動物，想安定，又想變

動；怕失去，又想擁有。

其實，乳酪是不會被搬走的，因爲乳酪在你心中！

＊本序文作者王介安爲廣播節目主持人・文字工作者

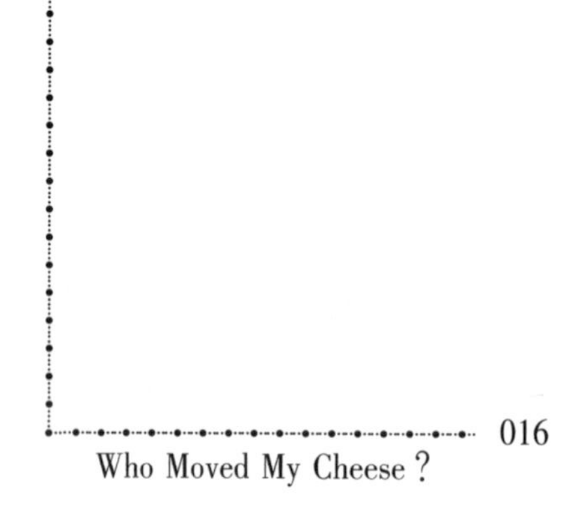

・序三・

面對「改變」後的舒坦

／大衛王

偶遇介安，我有幸先拜讀了《WHO MOVED MY CHEESE？》一書中譯版。這是一本動人的好書，裡面沒有華麗的文辭修飾，也不談一些人生大道理，它只是一個故事，讓你在閱讀的過程中，慢慢體會其中的意境。

這本書中討論的是，關於「改變」。

面對生活裡每天接踵而來、大大小小的「變化」，總是令人煩躁、不安，甚至恐懼。

今年七月，我平順的廣播生涯突然起了「變化」。原本一直認爲會在老東家ICRT待得更久一點的我，因爲中廣李慶平總經理邀我主持「知音時間」，而掀起了一陣波

瀾。

面臨「要不要去中廣？」的問題，我十分爲難。畢竟，要離開一個已經相當熟悉且大力栽培自己的地方，並不是件容易的事。我大部分的朋友也都勸我回絕中廣的邀約，因爲投入一個全新的環境，去接手一個原本已有很好的基礎並已定型的節目，實在是一項吃力不討好的冒險。我的朋友擔心我弄到最後搞不好「兩頭空」……

當然，我自己也是疑惑的。但每當我害怕時，在我心底就會不斷的浮現一些聲音：

「不要怕！踏出這一步，或許會有意想不到的收穫！」

「試試看！沒試過怎麼知道自己行不行？」

於是我選擇了「改變」，選擇到中廣。

勇於接受改變的結果，我自己覺得它好得令我後悔「爲什麼不早一點跨出這一步呢？」

打開這本書，好好的閱讀書中的「乳酪觀點」。或許它會「改變」你的一生呢！

*本序文作者大衛王爲中廣「知音時間」節目主持人，資深的廣播人。

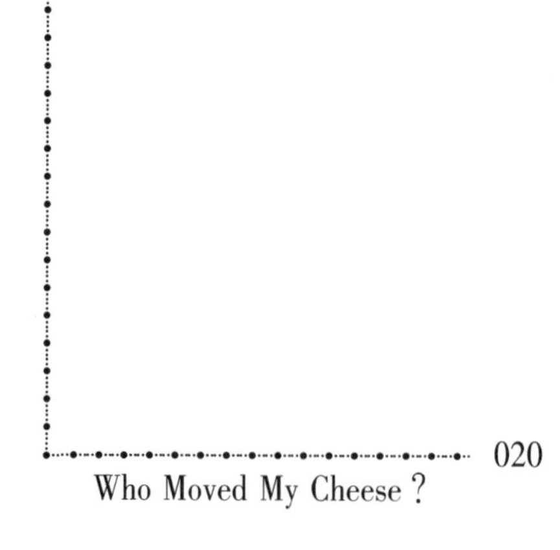

・推薦話一・

／李佑寧

《誰搬走了我的乳酪？》一書有趣而不說教，以一則寓言故事激勵讀者勇於面對工作與生活各方面的變化，以健康、樂觀的態度有效自我管理，是本精簡卻深刻的好書，讀來令人振奮。在多年的導演與製片企劃經驗中，我即不斷面臨「乳酪」被人搬走的窘境及考驗，而檢視書中所闡述的道理，不但契合我的生活經驗與堅持，更讓我深感窩心，希望把這本小書與大家分享。

別忘時時提醒自己：「如果你並不害怕的話，你會怎麼做呢？」

＊本推薦文作者李佑寧現爲中央電影公司製片部經理暨金馬影展執委會祕書長

· 推薦話二 ·

／龐建國

在「變化」已經成爲常態的社會裏，您想成爲工作上或生活中的贏家嗎？這本書用說故事的方式，讓您瞭解因應變化的基本訣竅，在輕鬆有趣的閱讀裏，幫您克服無謂恐懼，打破因循苟且，迎向積極人生。

＊本推薦文作者龐建國現爲台北市議員

· 推薦話三 ·

／敖君怡

我喜歡故事裏的小矮人哈哈，因爲他就像我們的縮影。人們往往對一些想做、卻無法預知結果的事感到茫然、失措；而對眼前所擁有的卻已厭惡的東西，又有食之無味、棄之可惜的貪戀，所以時光就在日復一日的懊悔中度過了。希望大家能用心看完這個精彩的故事，也祝福人人都能像哈哈一樣，找到人生的乳酪！！

＊本推薦話作者敖君怡現爲台北之音主持人

·他序·

故事背後的故事

The Story Behind The Story

／肯尼士·布蘭其博士

我以非常高興的心態來告訴你《誰搬走了我的乳酪？》這故事背後的另一個故事。當我寫這故事時，表示這本書已完成並付梓；而且大家都可閱讀、享受並和朋友分享。

在我和本書作者史賓賽·強森博士合著《一分鐘管理人》這本書之前的幾年，我第一次聽到他告訴我這個寓意深長的「乳酪」的故事後，我就一直希望能看到這本書付梓，讓大家都能閱讀分享這故事。

當初我聽到這故事時，就覺得這故事實在太有意義了，並且相信它會給我很大的啓發和幫助。

《誰搬走了我的乳酪？》是個有關「變化」的故事。這變化是發生在一個迷宮中，有四個有趣的人物在這個迷宮裡尋找他們的「乳酪」。這裡所謂的「乳酪」是一種譬喻，它可以被當成我們生命中最想得到的東西。它可能是一份工作、人際關係、金錢、一幢豪宅、自由、健康、被賞識、心靈的寧靜；甚至也可能是像慢跑或打高爾夫球之類的活動。

我們每一個人都有自己想要的乳酪，也因爲我們相信這乳酪會帶給我們喜樂，所以我們追求尋找它。如果我們找到了心目中的乳酪，就會變得很依賴它。如果有一天失去了，或者是被別人拿走時，將會造成精神上很大的創傷。

書中所謂的「迷宮」，代表的是你花費時間與精力追尋的東西所在的地方。它可以是你服務的機構、你所居住的社區或是人生中所擁有的一些人際關係。

我時常在各地演講時提到這個有關「乳酪」的故事，而且經常可以聽到聽過這個故事的人說這故事對他們的人生所造成的影響與改變。

信不信由你，很多人的事業、婚姻、生命得以保住或繼續，都得歸功於這個小故事。

查理・瓊斯是一位備受尊敬的知名運動主播，服務於NBC電台。他說《誰搬走了我的乳酪？》這個故事挽救了他的事業。這故事就是眞實生活中的一個好例子。雖然廣播者的職業是比較特殊，然而他從這故事中所學到的道理，對一般人而言，應該都是受用的。

以下就是發生在查理・瓊斯身上的故事——

查理・瓊斯是個敬業且工作認眞的人，他在前不久的奧林匹克比賽上，將田徑賽這項目報導得有聲有色。所以，當他的老闆要將他調離奧運田徑賽的播報台，改派他報導游泳和潛水的項目時，他感到非常驚訝、沮喪。

因爲他對這兩項活動涉獵不多，所以他覺得很有挫折感；覺得自己沒有得到賞識而感到憤怒難平。他說，當時他覺得這個安排是非常不公平的。因此，他的憤怒也開始影響到工作上的表現。

後來，他聽到了《誰搬走了我的乳酪？》這個故

事。

然後他覺得自己以前的態度很可笑，便改變了自己的言行舉止。因爲他現在明白他的老闆只是「把乳酪搬走了」，而他所應該做的就是調適自己。有了這個想法，他開始花時間收集、研究這兩種運動的相關資料。而在這學習的過程中，他發現到，做不同種類的運動報導竟使自己覺得又年輕了起來。

不久，他的老闆也了解到他的態度和對工作的熱忱，他被派遣到更好的職位。自此之後，他享受了前所未有的成功，又過了不久，他就進入了名人廳職業足球播報員的行列。

我聽到很多人表示，這故事對他們的工作和感情生活都造成很大的衝擊和震撼。而查理・瓊斯的例子，只是眞實生活中這許許多多例子中的一個。

我是如此的相信《誰搬走了我的乳酪？》這本書所帶來的影響力和震撼力。最近，我分發給每一位和我們公司有生意往來的人（大約有二百人）這故事早期未發行前的版本。爲什麼我要這麼做呢？

因爲，就像每一家公司所希望的一樣；我們不只要公司能在未來永續經營下去，也要求公司保有競爭力。我們布蘭其訓練發展公司是一直在改變的，他們會不斷地將我們的乳酪搬走。以前，公司喜歡忠誠的員工，而現今，公司需要的是具有調適力的人，因爲這些人不會固執的堅持「原有的處理事情的方法」。

就像我們大家所知道的，處在需要時常面對工作及生活上變化的環境中，壓力是很大的。除非我們能以不同的觀點來看待變化，並幫助我們了解變化。這方法就是，進入這乳酪的故事。

我告訴大家這故事後，所有人都跑去閱讀《誰搬走了我的乳酪？》這本書。而在閱讀的過程中，大家幾乎都可以感覺到，自己正從負面的情緒中解放出來。每一個部門裡的人，一個接著一個的跑來向我道謝，並說這本書對他們的幫助是如此之大，使他們能以不同的角度來看待公司正面臨的變化。

請相信我，你只要花費很短的時間就能把這部短篇的寓言故事讀完。然而，這故事對你的影響，卻會是深

遠的。

翻閱這本書時，你會發現書中有三個部份。

第一部份是一個聚會：描寫的是一群學生時代的同班同學，在同學會中討論他們如何嘗試去處理生活中所發生的變化。第二部份是《誰搬走了我的乳酪？》的主文。第三部份是討論：是描述這些人聽完「乳酪」的故事後，彼此分享他們所得到的領悟，並描述他們如何把得到的啓示應用在工作和生活中。

有些讀者喜歡在讀完故事的本文後，就停下來，不再往下繼續閱讀，並以他們自己個人所得到的啓示來解釋這篇故事的意涵。也有些人喜歡把第三部份的討論讀完，因爲他們認爲這部份能刺激他們去思考如何將這故事的啓示應用到他們自己面臨的不同情況。

無論你喜歡哪一種閱讀方法，我都竭誠地希望你能一再反覆地閱讀這本書；並細細咀嚼其中的滋味。希望你能像我一樣，每讀一次，就能得到一種新的、不同的領悟和啓發。這將會幫助你妥善地處理變化，引領你走向成功。只要你能善用此書的啓示，不論你決定做什

麼，成功都終將屬於你。我希望你會喜歡你所發現的道理，也但願你眞的會喜歡。記住，跟著乳酪移動！

芝加哥的聚會
A Gathering ：Chicago

芝加哥的聚會

A Gathering: Chicago

在芝加哥，一個陽光普照的星期天，許多前一晚剛參加完高中同學會的同班同學，又聚在一起吃中餐，他們想再多聊聊畢業後大家的生活情況。一陣嬉笑玩樂、酒足飯飽之後，他們開始了這次聚會中最有趣的對話。

學生時代是班上最受歡迎的安琪拉首先開口說話：「畢業後的生活變化和我當初在學校時所想像的，竟有如此大的差別。世事眞是多變！」

「可不是嗎？！」納森附和著說。

所有同學都知道納森一畢業就繼承了家族的企業，而他們的經營方式總是固守原來的模式，一成不變，納森家的企業在當地可算是歷史悠久的老字號了。因此，當他附和安琪拉的話時，大家都感到很訝異。

納森接著問：「不知道大家是否注意到，當情勢在

變化的時候，我們自己本身是多麼的不願意去改變啊！」

查理接著說道：「我想我們不願意去改變的原因，是我們害怕改變。」

「查理，你以前可是學校足球隊的隊長啊，我想不到『害怕』這個字眼會從你口中說出來。」潔西卡說道。

畢業後有些同學在家裡工作，有些同學在外經營管理公司，但當他們發現，即使大家都已走向了不同的人生，每一個人卻都正經歷著類似的感覺——恐懼改變——時，大家不禁相顧失笑。

每個同學都試著去處理這些年來發生在他們身上的變化。而大多數的同學都承認他們並不善於處理這些改變。

此時，麥可開口說道：

「我曾經是個害怕改變的人。有一次我們的公司發生一個重大變化時，所有人都不知道如何去應變，所以我們也就沒有採取和往常不同的應變措施，結果我們公

司差點倒閉。而我這害怕改變的個性，因為一個有趣的小故事而改變，這個小故事也改變了我周遭的每一件事。」

「為什麼會這樣？」納森問道。

麥可回答說：

「這故事改變了我對『變化』的看法，自此之後，我的工作和生活都有很大的改善。然後，我把這故事告訴我們公司的一些同仁，他們也把這故事告訴其他的人。不久之後，我們公司的業務就蒸蒸日上了；這都要歸功於我們已經習慣去做更好的改變。就像我一樣，很多人都認為這故事的啓示對他們的生活有很大的幫助。」

「這究竟是個怎樣的故事呢？」安琪拉問道。

麥可答道：「我把這故事稱為『誰搬走了我的乳酪？』」

所有同學都笑道：「光聽這名字，我已經開始喜歡這故事了。」

查理問道：「你可以告訴我們這故事嗎？」

「當然！」麥可答道：「我非常樂意告訴你們這個故事，這故事並不長。」然後，他開始了這故事的述說——

故事
The Story of Who Moved My Cheese

故事

The Story of Who Moved My Cheese?

很久以前，在一個遙遠的地方，住著四個小人物，他們常在迷宮裏跑來跑去，找尋供給他們營養和帶給他們快樂的乳酪。

這四個小人物中，有兩隻是名叫「好鼻鼠」和「飛腿鼠」的老鼠；其他兩位則是身體大小和老鼠差不多的小矮人，名叫「猶豫」和「哈哈」，而且這兩個小矮人的外型與行爲和現今的人類差不多。

由於體型太小，實在很難看出他們四個在做什麼。但是，如果你貼近他們仔細的看，可會發現令你歎爲觀止的事情呢！

每天早上，那兩隻老鼠和小矮人都會花許多時間在迷宮裏，尋找他們自己喜歡的乳酪。

這兩隻小老鼠——好鼻鼠和飛腿鼠，就像一般老鼠

一樣，常運用他們齧齒動物僅有的簡單的智商和強烈的直覺，來尋找他們所喜歡的那種硬硬的、需要輕咬細嚼的乳酪。

而那兩個小矮人——猶豫和哈哈，則運用他們充滿點子的頭腦去尋找那種類特別的「非常乳酪」，他們相信這種「非常乳酪」會帶給他們快樂和成功。

儘管老鼠和小矮人找乳酪的方法不同，但有件事他們卻是一樣的；那就是每天早晨他們都會穿上運動服和慢跑鞋，離開小窩，衝進迷宮，尋找他們最喜愛的乳酪。

在那個滿是迴廊和小隔間的迷宮裏，有些地方藏有美味的乳酪。但是也有許多黑漆漆的角落和隱蔽的死巷。那迷宮著實是個容易令人迷路的地方！

不過，如果有人能夠找到正確的通路，迷宮裏所保存的祕密，將會帶給他們更美好的明天。

好鼻鼠和飛腿鼠這兩隻老鼠，總是使用簡單卻沒有效率的錯誤嘗試法來找尋乳酪。他們的方法就是跑進其中一條走道，如果發現走道的盡頭是空的，沒有乳酪，

就再往回跑，繼續試另一條走道。

好鼻鼠能利用他敏感的鼻子聞出乳酪藏匿的大概方位，而飛腿鼠總是跑在他的前頭，衝去找乳酪。但這可是迷宮，所以可想而知，他們一定會經常迷路、走錯方向，有時甚至會撞到牆。

另外兩個小矮人，猶豫和哈哈則使用另一種方法，這策略就是運用他們思考的能力和對過去經驗的學習，可是，他們有時還是會讓感性戰勝了他們的理性，在尋找乳酪的過程中，產生許多困惑。

儘管他們所使用的方法如此的不同，最後他們終究都發現了他們所要尋找的東西——有一天，他們總算找到了他們各自所喜歡的乳酪，原來那乳酪是放在C乳酪區走道的盡頭。

自此之後，每個早晨，那兩隻老鼠和小矮人在穿上他們的跑步裝備後，就毫不猶豫的直奔C乳酪區。他們很快的就建立了自己的路線。

好鼻鼠和飛腿鼠仍然每天一大清早就起床，然後依著同樣的路線跑進迷宮裏。

當這兩隻老鼠到達目的地時，他們就脫下運動鞋，把鞋子綁在一起，掛在他們的脖子上（以便當他們需要鞋子時，能夠很快的拿到）；然後開始享用他們的乳酪。

剛開始的時候，猶豫和哈哈也會每天早上跑到C乳酪區，去享受在那兒等著他們的一些剛出爐的美味食物。

然而，不久之後，猶豫和哈哈改變了他們的常規。

猶豫和哈哈比以前晚一點起床，然後慢慢地穿上運動服，再走去C乳酪區。畢竟，他們現在已經知道乳酪放在哪兒了，也知道走到乳酪儲藏處的路線。

他們不知道乳酪從何而來，也不知道誰將它放到C乳酪區的，他們只是認定反正乳酪就是會在那裏。

每天早晨，猶豫和哈哈到達C乳酪區後，就像回到自己的家一樣。他們把運動服掛起來，把運動鞋放到一邊去，換上拖鞋。現在他們覺得很舒適，因爲他們已經找到乳酪了。

「這實在太好了，這裏的乳酪足夠我們吃一輩子

呢！」猶豫說著。這兩個小矮人得到無比的快樂和成就感，他們認爲從此以後可以高枕無憂了。

不久，猶豫和哈哈便認爲他們在C乳酪區發現的乳酪是屬於他們的。這C乳酪區的乳酪庫藏量是如此的豐富，最後他們決定把家搬到更靠近C乳酪區的地方，並且在那一帶建立了他們的社交生活。

爲使這個新居更像個家，猶豫和哈哈用了許多標語來佈置他們的牆壁，甚至畫了一些看來非常可口的乳酪圖案在標語上，看了心情就愉快。其中有一片乳酪上的標語是：

「**有了乳酪，你就會快樂！**」

有時候猶豫和哈哈會帶朋友到C乳酪區看他們那成堆的乳酪，並驕傲地指著那堆乳酪說道：「多美味可口的乳酪，是吧！」有時候他們會和朋友分享乳酪，有時候就沒有。

「我們是值得擁有這些乳酪的，我們的確努力了好一段時間才找到它的。」猶豫說道。然後，他拿起一片新鮮美味的乳酪咬了下去。

「有了乳酪，你就會快樂！」

然後，就像往常一樣，猶豫享受完乳酪後就睡著了。

每天晚上，這兩個小矮人在飽餐了一頓乳酪後，就搖搖擺擺地走回家，到了早上，他們又會信心十足地走回迷宮裏的C乳酪區享用更多的乳酪。

這種情形持續了好一段時間。

過了一段時間，猶豫和哈哈的信心演變成傲慢和自大。不久，他們自大到甚至不再注意正在發生的事。

另外一邊的好鼻鼠和飛腿鼠仍是繼續他們的常規和路線。他們每天一早就跑進迷宮裏，在C乳酪區附近跑來跑去、嗅來嗅去，並在牆上抓劃，偵測看看這區域是否和他們前一晚離去時一樣。等他們確定一切都沒有異狀後，他們便會坐下來輕咬細嚼那乳酪，好好的享受一番。

一天早晨，當他們跑到C乳酪區時，竟然發現裏面的乳酪不見了。

雖然如此，這情形並沒有使好鼻鼠和飛腿鼠感到驚訝。因爲他們早就注意到每天發現到的乳酪越來越小

片。他們對眼前這種情況早有心理準備，並直覺地知道該怎麼做。

他們彼此對看了一下，很有默契的拿下他們套在脖子上的運動鞋，然後改套在腳上，綁緊鞋帶。

這兩隻老鼠並沒有花太多時間過度分析事情。事實上，他們也沒有太多複雜的想法可以造成他們的負擔。

對這兩隻老鼠而言，問題和答案都同樣的簡單。也就是說，既然C乳酪區的情況已經改變了，那好鼻鼠和飛腿鼠也決定要跟著改變。

他們注意地看著迷宮裏的路徑。然後好鼻鼠揚起他的鼻子，嗅了一嗅，便對飛腿鼠點了點頭示意，飛腿鼠立刻就開始拔腿在迷宮裏到處奔跑，而好鼻鼠也毫不放鬆的緊跟在他後面。

他們很快地就離開了C乳酪區，前往別區找尋新的乳酪。

稍晚些，猶豫和哈哈也來到了C乳酪區。他們過去一直都沒注意到每天發生在C乳酪區的微小變化，也因此，他們自以爲是的認爲乳酪當然還是在老地方。

他們對將要面對的事實，一點心理準備都沒有。

「什麼？竟然沒有乳酪！」猶豫吶喊著。「怎麼會沒有乳酪呢？怎麼可能沒乳酪呢？」猶豫繼續不停地叫喊著。他似乎覺得如果他叫得夠大聲的話，就會有人把乳酪放回來。

「誰把我的乳酪搬走了？」猶豫大發牢騷地叫喊著。

最後，他把手放在屁股上，臉色也因爲緊張和憤怒而漲成紅色，然後他高聲吶喊著叫：「這是不公平的！」

哈哈也不相信地一股勁的猛搖頭。他也是自信滿滿地認爲一定能在C乳酪區找到乳酪的，而今，事情卻出乎他的意料之外。他因爲驚訝，呆呆的站在那裏，久久不能動彈。他可是對這突發狀況一點心理準備都沒有的啊！

猶豫正在一旁吶喊著，但哈哈根本沒有心情去聽他

叫喊的內容。他不想去處理他所面對的情況，所以他只是不去看、不去想。

這兩個小矮人的行爲並不可取也不具建設性，但他們會有這種反應是可以理解的。

要找到乳酪並不容易，更重要的是這乳酪對兩位小矮人的意義，可是比每天能夠有足夠的份量食用還要大得多了。

找到乳酪是這兩位小矮人得到快樂的方法。依照他們的品味，他們有自己的看法，知道哪一種乳酪對他們而言是有意義的。

乳酪對所有人的意義都不相同。對某些人來說，乳酪代表的是物質上的享受。有些人覺得乳酪代表的是健康的身體，或者是發展一個安寧的性靈人生。

對哈哈來說，擁有乳酪，代表著安全感。他一直期待著有一天能有一個溫馨的家庭和居住在名人社區的一幢舒適的小房屋裏。

對猶豫而言，擁有乳酪就像是成爲一位能夠管理很多員工的大老闆，以及在風光明媚的山頂上擁有一棟華

麗的大房子。

因為乳酪對他們而言是如此的重要，所以這兩位小矮人花費了很長的一段時間，試圖去決定該怎麼做。但他們所能想到的，竟然是繼續察看沒有乳酪的C乳酪區，看看那些乳酪是不是眞的不見了。

當好鼻鼠和飛腿鼠早已開始出發前往別區尋找新乳酪時，猶豫和哈哈卻還繼續在原地猶豫遲疑，踟躕不決。

他們情緒激昂地大聲叫罵這一切的不公平。然後，哈哈開始變得沮喪起來了。他非常擔心，要是這些乳酪明天還是不在這裏該怎麼辦呢？因為他對未來的許多計畫，可都是以這些乳酪為基礎而定下的呢！

這兩位小矮人就是不能接受這一切。這種事情怎麼會發生呢？從來就沒有人提醒他們啊。這是不對的；事情不該是這樣的。他們始終無法接受這樣的事實。

當晚猶豫和哈哈饑腸轆轆、沮喪地走回家。但是，在他們離開C乳酪區前，哈哈在牆上寫著：

「乳酪對你愈重要，你就愈想擁有它！」

「乳酪對你愈重要，你就愈想擁有它！」

隔天，猶豫和哈哈離開他們的住處，再度走向C乳酪區。他們仍然希望能在C乳酪區找到他們的乳酪。

然而，C乳酪區的情形並沒有改變；乳酪早已不在那裏了。猶豫和哈哈頓時感到手足無措。他們只是呆站在那裏，像兩尊雕像似的一動也不動，什麼辦法都沒有。

哈哈用盡力氣緊閉雙眼，並用手摀住耳朵。他只希望能自絕於外界的一切。他不想去承認過去乳酪的供應量的確是漸漸的在減少，而寧願相信那乳酪是突然被搬走的。

猶豫一再反覆地分析這情況，靠著他那裝載著大量信念、系統複雜的頭腦，他最後像明白了什麼似的請求地說：「他們爲什麼要這麼對我？」、「這裏到底發生了什麼事？」

最後，哈哈張開他的眼睛，看看四周，然後說道：「請問一下，好鼻鼠和飛腿鼠在哪裏啊？你想他們會不會知道一些我們所不知道的事情呢？」

猶豫語帶譏笑的說：「他們會知道些什麼？」

猶豫繼續說道：「他們只是機能簡單的老鼠。他們只能對發生的事情做簡單的回應。而我們卻不一樣，我們可是有頭腦、機伶又聰明的小矮人啊，我們是特別的。我們一定能夠對這事情理出頭緒來。而且，我們本來就應該比那兩隻老鼠強。」

「這種事眞不應該發生在我們身上，就算眞要發生的話，我們應該至少也要得到一些補償。」猶豫說道。

「爲什麼我們應該得到一些補償呢？」哈哈問道。

「因爲我們是有資格得到的。」猶豫宣稱。

「有資格得到什麼呢？」哈哈很想知道地問著。

「我們有資格得到這些乳酪。」

「爲什麼這麼說呢？」哈哈繼續追問。

「因爲這問題不是我們引起的，是別人把乳酪移走的，並不是我們，所以我認爲我們還是有資格得到些什麼的。」猶豫堅稱道。

哈哈不以爲然並建議說：「也許我們應該做的就是停止過度分析這情況，並且開始去找一些新的乳酪。」

「喔！不要！我要對這情況追根究底。」猶豫反駁

道。

當猶豫和哈哈還在爭執著該怎麼做的時候，好鼻鼠和飛腿鼠早已經上路尋找乳酪很久了。他們走入迷宮更深處，在走道四周上下察看，仔仔細細的搜尋每一個乳酪站尋找乳酪。

除了盡其所能地尋找乳酪外，他們什麼都不想。

有好一段時間，他們找得很辛苦，卻一無所獲。直到最後，他們進入了迷宮裏一個他們從未到過的區域——N乳酪站。

他們快樂地尖叫著。因爲他們終於找一大堆的乳酪。

他們簡直無法相信眼前所看到的。這是他們所見過最大的乳酪倉庫。

就在好鼻鼠和飛腿鼠找到乳酪的同時，猶豫和哈哈仍舊又回到C乳酪區，評估他們的情況。他們正忍受著沒有乳酪的痛苦。挫折感和憤怒緊緊攫住他們，而且他們還因爲自己所處的不利情況而責怪彼此。

有時候哈哈會想起他兩位老鼠朋友——好鼻鼠和飛腿鼠，猜想他們是否已經找到乳酪。他認爲好鼻鼠和飛腿鼠可能不好過，因爲他們在迷宮中跑來跑去時，經常會陷入不確定的麻煩。但是他也相信，這種情形只會持續一下子而已。

有時候，哈哈會想像好鼻鼠和飛腿鼠正找到新的乳酪並在飽餐一頓。這時候他就會想，要是他也像他們一樣，走出這乳酪站，在迷宮中探險，找到新鮮的乳酪，這一切該有多好啊！想著想著，他覺得自己好像已經嚐到那些乳酪的美味了。

當哈哈想像他自己找到乳酪並大快朵頤的畫面愈來愈清晰時，他就發現自己愈想離開C乳酪區。

「走吧！讓我們出發去找乳酪！」哈哈突然間宣佈道。

「不！我不要！」猶豫很快地答道。「我喜歡這裏，這裏很舒服，而且這裏是我所熟悉的一切。除此之外，我覺得外面的一切都充滿危險。」

「不，這一切並不是像你想像的那樣。我們以前也曾經跑過迷宮裏很多地方，我們可以再試試看。」哈哈反駁道。

「我已經太老了，不能再做這種跑來跑去冒險的事情了。而且，我可不想再到處撞來撞去，時常迷路，搞得自己像個呆子一樣。難道你喜歡這樣啊？」猶豫說道。

聽著猶豫的這些話，哈哈害怕失敗的感覺又佔據了他的心頭，他想找到新乳酪的希望也在恐懼中漸漸的模糊、消失了。

因爲如此，這兩個小矮人每天還是繼續做他們以前所做的事情。那就是跑回C乳酪區，發現還是沒乳酪後，又帶著焦慮和挫折再回到他們的居所。

儘管他們試圖否認正在發生的一切事情，但他們還是不得不承認他們越來越難入眠，隔天則越來越沒有力

氣，而這種種情況也變得越來越煩人。

他們的家再也不是以前那個曾經滋養他們的地方了。這兩個小矮人變得無法入睡，而且經常作找不到乳酪的惡夢。

儘管他們倆的情況已經如此糟了，但他們還是墨守成規地每天都跑回C乳酪區，在那裏等候。

猶豫說：「只要我們再努力些，就會發現事情並沒有改變多少。那乳酪很可能只是在附近。也許，只是有人把乳酪藏在牆後面而已。」

隔天，猶豫和哈哈帶著工具回到C乳酪區。哈哈用鎚子在牆上用力敲打，猶豫則用鑿子在一旁挖鑿；他們持續這樣努力著，直到在牆上挖出了個小洞來。然後，他們透過牆上的洞往內仔細的觀看，但是仍找不到乳酪的蹤影。

雖然這令他們感到沮喪，但他們仍相信這樣能解決問題。因此，他們每天更早到C乳酪區動工，而且在那兒待得更久，更賣力在牆上挖洞。但是，不久之後，他們僅得的收穫，竟僅是牆上一個大洞而已。

經過了這事，哈哈已經漸漸明白了有充足的活動力不一定就會有相等的生產力成果。

「也許我們應該做的，就是坐在這裏等等看會發生什麼事。他們遲早會把乳酪放回來的。」猶豫說道。

哈哈很想相信猶豫說的話。所以，每一天他的生活就是從C乳酪區走回家休息，然後再很不情願地和猶豫回到這裏來等待。然而，乳酪卻從來沒再出現。

哈哈和猶豫因爲飢餓和壓力漸漸變得愈來愈虛弱。哈哈已經不願意再被動地等著情況自己改善。他開始明白，只要他們在這沒有乳酪的地方待得愈久，他們的情況就會愈糟。

哈哈知道，再這樣下去，他們一定會崩潰。

終於，有一天，哈哈開始嘲笑他自己，「猶豫、猶豫，你看看我！我竟然笨到持續做著同樣的動作，還來責怪、懷疑爲什麼事情還是沒有得到改善。還有什麼比這更可笑的呢！」

其實，哈哈並不喜歡再跑回迷宮裏。因爲他認爲他有可能會迷路或者是不知道到哪裏去找乳酪。不過，當

他一想到他的顧慮和恐懼所帶給他的下場時，他就忍不住要嘲笑自己。

過了不久，他問猶豫：「我們把運動裝和運動鞋放到哪裏去了？」當初哈哈和猶豫在C乳酪站找到他們的乳酪時，他們認爲那些乳酪已經足夠他們享用一輩子了，所以他們以爲再也不會需要這些裝備了。於是，便把這些跑步裝備都丟到一邊去。

當猶豫看到哈哈穿上好不容易才找到的運動裝備時，不禁緊張地問道：「你該不是眞的要走出這裏，再度跑進迷宮裏吧！你爲什麼不和我坐在這裏等到他們把乳酪放回來呢？」

哈哈答道：「因爲如果這麼做，我們永遠也不會得到那些乳酪，再也不會有人把乳酪放回來了。現在是我們尋找新乳酪的時候，不要再想那塊已經不存在的乳酪了。」

猶豫反駁道：「但是如果外面也沒有乳酪，那該怎麼辦？或者我們根本找不到乳酪，那又該怎麼辦？」

哈哈答道：「我也不知道。」事實上，這同樣的問

題，他已經在心裏反覆問過自己千百萬次了。而猶豫的問題，又讓他開始感受到恐懼，而這恐懼就是使他過去一直裹足不前的原因。

但是隨後，他又想到如果眞讓他找到新的乳酪呢？那種享受與喜悅的期待再度鼓舞了他的勇氣。

於是哈哈便對猶豫說：「有時候，事情就是會改變，而且再也變不回原來的樣子；現在我們所面對的情況就是如此。猶豫，這就是人生！日子只會往前走，所以我們也要往前看，而不是一味的在原地踟躕不前。」

哈哈看著他那因飢餓和沮喪而漸漸衰弱的夥伴，試著分析道理給他聽。但是猶豫的恐懼早已轉變成憤怒，所以他什麼都聽不進去。

哈哈並不想冒犯他的夥伴，但他仍忍不住地嘲笑他們自己，因爲他們倆現在看起來眞的是太愚蠢了。

當哈哈準備離開C乳酪區時，他覺得整個人都變得比較有朝氣了。他知道，他終於能釋懷地嘲笑他自己，並繼續往前向未知的生活邁進。

「這眞是個特別的時刻！」哈哈興奮地高喊。

猶豫並沒有一絲喜悅，也沒對哈哈的舉動和建議做出任何反應。

哈哈撿起地上一塊小而有稜角的石頭，在牆上寫了一句寓含深意的話，好讓猶豫能有所啓發。就像哈哈以前的習慣，他又在這句標語上畫了一塊乳酪，希望這能喚起猶豫的笑容，使他開懷起來，然後能啓程去尋找新的乳酪。然而，猶豫並不想看哈哈寫在牆上的標語。這標語是：

「如果你不改變自己，你就會被淘汰！」

留下標語後，哈哈探出頭小心翼翼地往迷宮裏觀看。他正回想著他是如何走進這已經沒有乳酪的C乳酪區。

他也曾經想過，也許已經沒有乳酪在這迷宮裏；也可能有，但是他找不到。這悲觀的想法在過去是如此地深植他的心中，幾乎就要毀了他。

然而，現在他已經不再爲此苦惱了，所以他的嘴角泛起了笑意。他知道猶豫現在一定還在原地懊惱：「是誰把我的乳酪搬走了？」但他想的卻不一樣，他心想

「如果你不改變自己，你就會被淘汰！」

「為什麼我不早些起床，就跟那已經被搬走的乳酪一樣，也跟著移動呢？」

當哈哈開始走出C乳酪區踏入迷宮時，他回頭看看曾經伴隨他和猶豫一段時間的地方。那一瞬間他幾乎可以感受到，他自己又漸漸地走回那熟悉的地方，又想躲回那已經沒有乳酪卻不會有變動的地方。

哈哈變得越來越緊張，也再度懷疑自己是否眞的想要離開。然後，他在牆上寫了一句話，並盯著它看了好一會。這句話是：

「如果你對未來無所畏懼的話，你會怎麼做呢？」

他認眞的思考著這句話。

他知道有時候恐懼可能是件好事。也就是說，當你害怕如果不採取某些措施，事情就會變得更糟時，這懼怕就可能促使你去採取一些行動，而採取行動後就可能對事情大有改善。但相反的，如果你的恐懼嚴重到使你不敢有所改變或不敢有所行動時，這種過度的恐懼就成爲一種阻礙了。

他看看他的右手邊，那邊區域是他從來沒有去過

「如果你對未來無所畏懼的話，

你會怎麼做呢？」

的，這時一股恐懼的感覺又朝著他迎面襲來。

他深深地吸了一口氣，彷彿這麼做就充滿了勇氣。他慢慢地朝著右邊的迷宮區域跑著，跑進那不知會通往何處的地方。

就在哈哈試著想找出通路時，剛開始他不斷地懊悔自己過去在C乳酪區浪費了太多的時間等待，沒有積極尋找新乳酪，所以變得這麼虛弱。如今在迷宮裏跑來跑去，不但耗費了他更長的時間，也吃了比以前更多的苦。他心想如果再有任何機會，他一定會讓自己更快地去適應事情的改變，而且立刻採取應變措施；這麼一來，事情也會變得較容易處理。

隨後，哈哈突然想起一句話：

「雖然比較晚才開始，但也比從來都沒有開始要好得多了！」

他不禁流露出一絲虛弱的微笑。

在往後的幾天中，哈哈常在途中發現一塊塊的小乳酪屑。但是這些乳酪都是一下就吃完了，沒辦法讓他可以支撐久一點。他曾經希望能找到足夠的乳酪，然後帶

「雖然比較晚才開始，

但也比從來都沒有開始要好得多了！」

一些回去給猶豫吃，並鼓勵猶豫走出C乳酪區和他一起走進迷宮裏找尋乳酪。

但是，哈哈至今仍沒有足夠的信心。因爲他必須承認，迷宮裏的迴廊的確令人感到十分困惑。那裏面很多地方都跟以前不一樣了。

每當他覺得自己已經往前走得很遠了、快接近目標的時候，下一刻他可能又會在迴廊裏迷了路。這樣看起來，他的進程是每走兩步就會倒退一步。這的確是個挑戰，但他必須承認，回到迷宮裏找尋乳酪的狀況，並不像他之前所恐懼的那樣糟糕。

不過，待在迷宮裏的時間越久，哈哈越懷疑找到新乳酪的心願能否成眞。他甚至懷疑自己在尋找乳酪的期間是否曾經吃過比他以前所吃掉的乳酪還要多的乳酪。然後，當他回神發現自己現在並沒有任何東西可以咀嚼時，不禁啞然失笑。

當他眞能面對現實之後，只要一感到沮喪，他就會提醒自己，不管他目前正在做的事情是多麼的令他不舒服，也比待在永遠不會再有乳酪的C乳酪區實際多了。

「要常常嗅一嗅乳酪的氣味，

如此你才會知道它何時開始變質！」

現在的他變得比較有掌控力了，他不再被動地讓事情發生在他身上。

然後，他會再度地提醒自己，既然好鼻鼠和飛腿鼠都可以適應變化，繼續往他們的人生大道邁進；那他也一定做得到！

不久之後，當哈哈回想過去種種的一切，他終於明白，在C乳酪區的乳酪並不是像他以前所認爲的那樣，一夜之間突然不見的。在那裏的乳酪不但漸漸地變少，而且剩下的乳酪也有點變質，不再像從前那麼美味了。

除此之外，有些霉菌早已散佈在那些舊乳酪上。如果當初哈哈注意一點，他應該可以看出這些變化。但是，當初他就是沒有留意這些改變。

哈哈現在明白了，如果當時他有觀察乳酪在那段時間的變化，或是，如果事先他有作一些預防變化的措施。那麼後來乳酪的消失，也不至於讓他驚慌得不知所措。也許，這些他所忽略的事情，都是好鼻鼠和飛腿鼠一直在做的。

他停下來休息了一會兒，並在迷宮裏的牆上寫下一

句標語：

「要常常嗅一嗅乳酪的氣味，如此你才會知道它何時開始變質！」

過了一段不算短的時間後，哈哈終於來到一座看起來應該會有乳酪的大乳酪站。然而，當他走進去時，卻失望地發現裏面竟空空如也，什麼都沒有。

哈哈心想：「這種失望、空虛的感覺，從過去到現在已經發生太多次了！」他幾乎很想放棄了。

他的體力正逐漸的衰退。他知道自己迷了路，此刻，他甚至害怕自己可能沒有辦法戰勝這一切。如果他能找到路跑回C乳酪區的話，他眞想掉回頭。猶豫還在那裏，至少他不會是孤獨地一個人。想到這兒，他又問了自己一個同樣的問題：「如果我並不感到恐懼的話，我會怎麼做呢？」

哈哈心中的恐懼遠大過於他自己所願意面對的。事實上，他並不確定他自己究竟在害怕些什麼，現在的他只是害怕一個人隻身在迷宮裏尋找乳酪。哈哈並不知道自己因恐懼的念頭而心生頹喪，並且正一步步地往後退

縮。

哈哈不知道猶豫是否已經向找尋乳酪的路上出發，或是他還因爲恐懼害怕而仍舊困在原地裹足不前。這時，哈哈想起了好幾次他自己在迷宮裏覺得很喜歡自己的時候，竟都是他一個人在找尋乳酪的時候。

然後，他又在牆上寫下了一句話，他知道這句話對他是個提醒，也像對他的夥伴猶豫做記號一般，希望猶豫在離開C乳酪區後，跟著這些記號來找他。

「**往新的方向移動能幫助你找到新乳酪！**」

哈哈看著那黑漆漆的通道，明白了自己的恐懼。前面有些什麼呢？會不會什麼都沒有呢？更糟糕的是，會不會暗藏危險呢？他開始想像所有可能發生在他身上恐怖的情況。他幾乎快把自己嚇死了。

想著想著，他突然又嘲笑起自己來了。因爲他終於明白，他的恐懼只會讓情況更糟糕，所以他採取了如果他在毫無恐懼的情況下會選擇的行動——往新的方向走去。

當他又開始在漆黑的迴廊裏跑來跑去的時候，他的

「往新的方向移動能幫助你找到新乳酪！」

笑靨展開了。哈哈尚未察覺到，他發現了豐潤他精神性靈的東西。即使他並非確切的了解前方的情況，他仍然能夠自在無懼的往前行去，並對前方的一切感到安心。

讓哈哈感到驚訝的是，他越來越喜歡自己了。「爲什麼我覺得這麼舒服呢？我既沒有找到任何的乳酪，又不知道自己將到達何處，爲什麼我感覺好輕鬆、好快樂呢？」他感到奇怪地想著。

沈思了一會兒，他知道自己覺得舒服快樂的原因了。

他停下了腳步，又在牆上寫了句標語：

「當你擺脫了自己的恐懼，你就會感到無比的暢快和舒適！」

哈哈明白他曾是恐懼心魔的俘虜。如今另一個新的方向則釋放了他，令他感到無比的自在。

他感受到微風正吹拂著四周，而這徐徐的和風使他感到神清氣爽。他深深地吸了幾口清新的空氣，因自己的進步而感到無比的鼓舞和振奮。一旦他擺脫了那無謂的懼怕，身邊的一切竟都變得比他先前所能想像到的還

「當你擺脫了自己的恐懼，
你就會感到無比的暢快和舒適！」

要令人喜悅。

然而，這種感覺並沒有持續很久。哈哈幾乎就要忘記這些舒適的感覺了。

爲了讓事情進行得更順利，哈哈開始在他腦海裏繪製一幅圖畫。在這幅圖畫中，他看到自己坐在一堆滿是他最喜愛的乳酪中，從口感極佳的硬乳酪到白色柔軟的乾酪都有。那場景栩栩如生，像是眞的一樣。他看見自己正吃著各式各樣他所喜歡的乳酪，心中充滿了無比的喜悅。

當他想像看到新乳酪的影像越清晰時，這一切似乎變得越眞實，他也越覺得他就快要找到乳酪了。

一如往常的習慣，他又在牆上留下一句標語：

「在還沒找到乳酪前，先想像我正在享用那些乳酪，這會幫助我快點找到乳酪！」

寫下這段標語後，哈哈不禁反問自己：「爲什麼我之前不會這麼做呢？」

想到這兒，他更加賣力地、敏捷地在迷宮裏跑著。不久之後，在一個乳酪站的入口，他發現一小片的乳

「在還沒找到乳酪前，
先想像我正在享用那些乳酪，
這會幫助我快點找到乳酪！」

酪，他十分興奮地停了下來。

這種乳酪的種類是他以前沒見過的，但它們看起來是如此的可口。他淺嚐了一點，發覺眞是美味極了！他便繼續地把大多數能看到的新小乳酪屑都吃下。然後把剩下的一些乳酪放在口袋裏，準備留著待會兒享用，或者是拿回去和猶豫分享。

吃過乳酪後，他又恢復體力了。

他帶著興奮的心情進入那擁有新口味的乳酪站，但卻沮喪地發現裏面竟然是空的。有人已經到過這裏了，而且吃完大多數的乳酪，只留下幾片小小的乳酪屑。

這時他完全弄懂了，如果當初他早些離開C乳酪區並且走快一些，他很有可能已經在這裏發現一大堆的新乳酪。

想到這兒，他決定回C乳酪區一趟，去看看猶豫是否已經準備好要加入找尋新乳酪的行列。

當他往C乳酪區的方向折返時，中途他停了下來，在牆上又寫下了一句標語：

「你愈早放棄舊乳酪，你就會愈快找到新乳酪。」

「你愈早放棄舊乳酪，
你就會愈快找到新乳酪！」

過了一會，哈哈已找到原路返回C乳酪區，並且發現猶豫仍在原地等待。他把找到的新口味小乳酪屑拿給猶豫品嚐，卻被猶豫拒絕了。

猶豫雖然很感激他朋友的好意，但還是堅持地說：「我不認爲我會喜歡新乳酪，它並不是我之前吃的那一種，我就是要我以前吃的那種乳酪。除非可以得到我想要的乳酪，否則我是不會改變我的想法。」

哈哈失望地離開了C乳酪區，又回到他先前找到新乳酪的地方。

當他站在這擁有新乳酪的地方時，他不禁開始想念起他的朋友猶豫。但他明白他不可能再回到他們曾經共處的老地方了，因爲他喜歡現在的自己。

即使在此之前，他覺得他所希望得到的是一堆堆供應量充足的乳酪，但現在，他知道使他快樂的原因並不僅僅只是擁有乳酪而已。

更棒的是，他發覺當他不再被自己的懼怕所駕馭時，他得到了從來沒有過的快樂。

弄清楚這一切帶給他的收穫之後，他再也不覺得自

己像待在那沒有乳酪的C乳酪區時那般的虛弱了。他明白了自己再也不會因懼怕而裹足不前，他同時也意識到，自己所選擇的新方向滋養了他的身心、給予了他力量。

現在他覺得要找到他所需要的乳酪，只是時間早晚的問題了。更重要的是，他感覺自己早就已經找到他長久以來一直在尋找的東西。

哈哈不禁露出了喜悅的微笑，並又在牆上寫下一句標語：

「進入迷宮裏尋找新的乳酪，是比繼續停留在已經沒有乳酪的地方要安全得多了。」

就像他之前曾想到的那樣，你所害怕的事情，從來就不會像你想像中的那般嚴重。也就是說，你自己在腦海裏所勾勒出來恐懼的影像，總是會比實際情況糟得多。

他曾經是那麼的懼怕永遠找不到乳酪，以至於他根本沒想過要去尋找；但是自從他開始尋找乳酪之後，他早已陸陸續續地在迷宮的迴廊中，找到足以維持他充沛

體力的乳酪屑。現在他仍不斷地往前探索，期待能發現更多的乳酪。往前探索找尋乳酪，這件事對他而言，已經變成一件令人興奮期待的事情了。

他以前一直被擔心和懼怕的陰影所籠罩。他總是擔心沒有足夠的乳酪，能讓他隨心所欲的取用。他也總把事情往壞處猜而不往好處想。

現在他明瞭了，不管你期不期待，情況不斷地發生變化是很自然的事。只有當你不願意或不希望改變時，變化才會使你驚慌失措。

當他發現自己已經改變了對事情的看法時，他又停了下來並在牆上寫下一句話：

「食古不化的想法，不會幫助你找到新的乳酪。」

哈哈一直還沒找到任何的乳酪。當他在迷宮裏跑來跑去時，他腦子裏不斷想著自己在這件事情上已經學到的東西。

哈哈現在明白了，他的新想法正鼓勵著他勇於去採取一些新的行動。相較於他以前常跑回同一個沒有乳酪的地方，他現在所採取的行動是非常不同的。

「進入迷宮裡尋找新的乳酪，
是比繼續停留在已經沒有乳酪的地方
要安全得多了！」

他知道當你改變想法時，你的行爲也會跟著改變。

你可以認爲改變會對你不利而堅持原狀，或者你也可以認爲找到新的乳酪能幫助你接受改變。

這些都端視你選擇接受哪一種想法而定。

他又不忘在牆上留下一句標語：

「當你覺得你會發現並享受新的乳酪時，你就會改變你的路徑。」

哈哈知道如果他早些接受改變並早些離開C乳酪站，他現在的體格一定會更好。他會覺得在精神和體力上都更朝氣蓬勃，他一定更能應付找尋新乳酪的挑戰。事實上，如果他當初沒有浪費時間在拒絕接受那已經發生了的改變，他現在很可能已經找到乳酪了。

他集中意志力，然後決定要繼續往迷宮裏從沒去過的地方走去。在路上，他到處都能找到一些乳酪屑，也因此又得到了足夠的體力和信心。

當他想起走來的路徑時，他很高興他曾在很多地方的牆上都留下標語。他想，如果猶豫決定離開C乳酪區的話，相信這些標語能成爲他穿越迷宮的記號。

「食古不化的想法，

不會幫助你找到新的乳酪。」

想到猶豫可能順著牆上的筆跡而找到路徑，他眞的很希望自己走的方向是對的。

不久之後，他又把想到的事情寫在牆上：

「及早注意事情的小變化，就能幫助提早適應即將到來的大變化。」

現在，哈哈已經能讓過往的一切隨風而逝，並漸漸適應眼前的未來。他繼續以更充沛的體力和更快的速度在迷宮裏前進。不久之後，好事情發生了。

哈哈終於在N乳酪區找到了乳酪。

當他踏入N乳酪區時，立即被眼前所看到的景象嚇了一大跳。到處都是堆積如山的美味乳酪，這影像是他以前所未見過的。因爲有些乳酪他以前從未曾看過，所以他沒有辦法逐一辨認每一種乳酪。

眼前的這一切實在太壯觀了，他遲疑了好一會，就是無法確信這一切是眞實的，抑或只是他的想像。一直到他見到好鼻鼠和飛腿鼠，他才相信這一切是眞的。

好鼻鼠對哈哈點頭示意表示歡迎，飛腿鼠則對他揮揮手。看著好鼻鼠和飛腿鼠向外凸出的腹部，哈哈就知

道他們已經在這裏待了好一會了。

哈哈很快地對他們的招呼做出回應，並立即在他所喜愛的各種乳酪上咬上幾口。然後，他脫掉鞋子和運動服，他把這些裝備整齊地放在身邊，以防萬一他在需要用到它們的時候能很快的拿到。接著，他跳進新乳酪堆裏，在他縱情盡興地飽餐一頓後，他拿起一片新鮮的乳酪，做了一份土司，並高喊「改變萬歲！」

當哈哈享用那新乳酪時，他思索著所學到的東西。他明白到，當他害怕改變時，他一直受困於對已經不存在的舊乳酪的幻想中。

究竟是什麼原因造成哈哈改變的呢？是害怕餓死嗎？哈哈想了想，心想：「這原因或多或少是有幫助的。」

他心有所悟地笑了笑，當他能夠坦然地嘲笑自己的愚蠢和所作的傻事時，他也開始改變了自己。他明瞭，改變的最佳方法就是嘲笑自己，然後就能夠對往事釋懷，並快速地行動，往前行去。

他知道自己已經從老鼠朋友們——好鼻鼠和飛腿鼠

的身上，學到了一些關於勇於改變並往前行去的有意義的經驗。

他們將生活看得很單純，他們從不把事情過度分析或過度複雜化。也就是說，當情況有所變化或乳酪被搬走時，他們也立刻隨之改變，並隨著乳酪移動的方向跑去。哈哈告訴自己，要將這經驗記在腦海裏。

哈哈運用他所擁有的慧黠頭腦，使他在事情的處理應變上，比他的老鼠朋友更得心應手。

他仔細思索過去曾犯下的錯誤，記取從中得到的教訓，以便計畫未來。他知道，處理變化的能力是可以透過學習得來的。

你會更了解，把事情單純化、具備高度的適應性和行動迅速都是需要的。

你不需要將問題過度複雜化或杜撰出恐懼的影像而使自己更加迷惑。

當小改變發生時，你就應該注意到，並儘早爲可能到來的大改變做準備。

他明瞭到，他最好提早適應變化。因爲，如果不能

「當你覺得你會發現並享受新的乳酪時，

你就會改變你的路徑。」

及時適應變化，就有可能永遠都無法適應。

他必須承認，那阻撓改變的最大阻力就是自己；除非自己能先改變，否則事情是不會有所改善的。

也許最重要的事情是，哈哈終於明白，不管你當時知不知道，乳酪總是存在於某個角落，但只有當你讓恐懼離你遠去，並享受冒險所帶來的喜悅，你才能得到享受乳酪的報償。

哈哈知道有一些恐懼是值得被重視的，因爲這能讓你避免陷入眞的危險，但是他也知道大多數的恐懼都是非理性的，只會在他需要改變時，讓他沒有勇氣去行動。

雖然他當時並不喜歡改變，但現在他了解，改變就像是另一種型態的恩賜，指引他找尋到更好的乳酪。

他甚至因此而發現自己更好的一面。

他回想自己所學到的經驗，不禁想起他的朋友猶豫。他不知道猶豫是否看到他在C乳酪區和迷宮的各個角落裏，所寫下的句句標語。

猶豫是否曾經決定要忘記已經失去的東西，往前繼

續行去？他是否曾進入迷宮裏並發現能使他生活更好的東西呢？

哈哈決定再跑回C乳酪區，去看看猶豫是不是還待在那兒——如果他能找到回C乳酪區的路。他心想，如果他找到猶豫的話，他也許能告訴猶豫如何擺脫現在的困局。不過，哈哈隨即又想到，他已經試過要使他的朋友改變了。

猶豫必須克服自己的恐懼和喜好安逸的心態，才能替自己找出一條路來，沒有人能幫他做這件事，或是使他去做這件事。只要猶豫肯踏出第一步，他或多或少會看到改變的好處。

哈哈知道自己已經留下了一條軌跡以幫助猶豫找到方向，只要猶豫有看到留在牆上的標語，他就一定能找到新的方向。

他走到N乳酪區最大的一面牆邊，把自己所學到的啓示做成摘要寫在牆上，並在摘要上畫上一大塊乳酪。他看著自己所寫下的摘要莞爾而笑。

牆上的話：

「**變化是會發生的**

他們會不斷地把乳酪移走

預期改變的到來

隨時準備好面對乳酪被搬走的事實

觀察變化

要常常嗅一嗅乳酪的氣味，如此你才會知道它何時開始漸漸變質

迅速地適應變化

你愈早放棄舊乳酪，你就會愈快找到新乳酪

改變自己

跟著乳酪移動

享受自己的改變

品味冒險並享用新乳酪的美味

隨時準備好迅速地適應改變並再度享用美味的乳酪

它們仍是會不斷地移走乳酪」

自從他和猶豫在 C 乳酪區分道揚鑣之後，哈哈知道

自己已向人生又邁進了一大步。然而，他心裏也明白，如果他太習於安逸舒適的話，他很快又會陷入以往沒有乳酪的窘境了。因此，他每天都仔細觀察N乳酪區，以便確定乳酪的狀態。他竭盡所能地避免因突如其來的改變而感到驚慌失措。

哈哈在這兒還有足夠的乳酪可以享受時，他仍經常跑出N乳酪區，進入迷宮裏探索新的區域，以便和他周圍的一切保持聯繫。他深切地明白，清楚地知道自己目前的情況比起將自己孤立在一個舒適的區域裏安全得多。

然後，他聽到東西移動的聲音，他聽這聲音覺得是來自N乳酪站外面的迷宮，當那聲音越來越大聲的時候，他知道有人正向這邊跑來。

那會是猶豫嗎？他快到轉角處了吧！

哈哈祈禱了一會，真的希望——就像他以前常常希望的那樣——也許，他的朋友終於能夠……

「**跟著乳酪移動並享用它！**」

「及早注意事情的小變化，

就能幫助提早適應即將到來的大變化。」

討論：同一天傍晚
A Discussion ： Later That Day

討論：同一天傍晚

A Discussion: Later That Day

當麥可說完這故事時，他環顧室內，發現這些老同學們都對著他微笑。

有一些同學並向麥可道謝，表示這故事使他們獲益匪淺。

納森問在座的同學：「待會我們找個地方再聚聚，或討論一下這故事如何？」

大多數的人都表示他們的確很想討論一下這故事，因此，他們安排在晚餐前再聚在一起喝個飲料、聊聊這故事。

當天傍晚，他們都聚集在旅館的交誼廳，開始互相調侃有關找尋他們的「乳酪」以及在迷宮裏看到了自己等事情。

過了一會兒，安琪拉親切地詢問在場的同學們：

「你們覺得自己是這故事裏的誰？好鼻鼠、飛腿鼠、猶豫或哈哈？」

查理首先回答：「這正是我今天下午所思考的問題。我清楚的記得在我從事運動器材的生意之前，有一次，我遇到一個突如其來的改變。

「當時我並不像好鼻鼠，我沒有及早嗅出潛藏的狀況和及早看見事情的變化；而且，我也不像飛腿鼠，因爲我沒有立刻付諸行動。

「我當時比較像猶豫，我只想待在自己所熟悉的安全領域裏。事實上，我根本不想去處理那變化，甚至可以說，我不願意去面對那變化。」

這時，在學校裏和查理就是親密的好朋友的麥可發言了，他覺得這幾年來大家的一切似乎都沒啥改變，於是他不解地問道：「兄弟，你說的那個突如其來的改變是什麼事情呢？」

查理說：「在工作上一個突然的改變。」

麥可笑道：「難不成是你被炒魷魚了？」

查理道：「讓我們這麼說好了，是我不願意踏出去

尋找新的乳酪。我不相信會有任何變化降臨在我身上，因此當時我的確非常沮喪。」

這群昔日的同班同學中，部份在討論剛開始時還非常安靜的人，現在也開始漸漸覺得比較能自在地開口說話了，包括已經入伍服役的法蘭克。

法蘭克說：「猶豫使我想起了一位朋友，當時他的部門即將結束營業，然而，他並不想去面對這一切。他們公司不斷地安排他的下屬新的職務，我們也都試著告訴他，公司裏還有許多機會，提供給有調適力的人，但他仍認爲他不需要改變，所以，當他的部門被裁撤時，他是唯一驚訝得手足無措的人。他現在很難去適應他認爲不該發生的變化。」

潔西卡說：「我也不認爲這種事會發生在我身上，但是，我的乳酪似乎不只一次地被搬走了。」

聽到這兒，除了納森以外，所有人都忍不住噗哧一笑。

納森說道：「也許，這就是重點。我們的人生都遭遇過變化。」

「我眞希望當初我的家人有聽過這個乳酪的故事。但很不幸的，我們總是不願意去面對正發生在我們生意上的改變，現在，一切都已經太遲了，因爲我們家有一些分店就要結束營業了。」納森繼續補充道。

納森的話震驚了在座的每一個人。原本他們都認爲納森是個幸運兒，因爲他有家族穩定的事業可以永遠依靠。

潔西卡急於想知道納森家究竟發生了什麼事，便問道：「到底發生了什麼事？」

納森答道：「當大型量販店以他豐富的貨品和低廉的價格進駐鎭上時，我們家族的小型連鎖店就突然變得過時而不具競爭力了。

「我現在才明白，我的家人既不是好鼻鼠也不是飛腿鼠，而是猶豫。我們都待在原地，故步自封，拒絕改變。因爲我們當時故意忽略正在發生的變化，才會造成今天的困局，我們實在應該從哈哈的身上學到些許教訓。」

羅拉，一位成功的女商人，在這討論會中一直扮演

著聆聽的角色，幾乎沒什麼發言。就在這時候，她終於開口說道：「我今天下午也一直在思索這個故事，我在想自己應該要怎麼做才能變得更像哈哈，才能看見自己的錯誤、坦然地嘲笑自己、改變自己，並將事情處理得更好。」

她繼續說道：「我非常好奇地想知道，在座的各位，有哪些人對改變感到懼怕的？」

眼見沒有人做出任何的回應，她便建議說：「不妨大家舉手示意？」

結果，只有一個人舉起手，承認自己懼怕改變。

羅拉便說：「看起來，我們這群人中，至少還有一個人是誠實的！」她繼續說道：「也許你們會比較喜歡下一個問題：在座的各位，有多少人認爲其他的人是懼怕改變的？」看到大家都舉起手來，他們不禁相顧失笑。

「這情形告訴了我們些什麼？」羅拉問道。

「我們都在否認自己對改變的懼怕。」納森答道。

麥可附議道：「有時候我們甚至察覺不到自己的害

怕，像我就是如此。當我第一次聽到這故事時，我就非常喜歡『如果你對未來無所畏懼的話，你會採取什麼行動呢？』這個問題。」

潔西卡接口道：「我在這故事中所得到的啓示是，無論我們是否懼怕改變，也不管我們喜不喜歡改變，『改變』就是會發生。

「我記得許多年前，我們公司正出售一組百科全書。有人曾建議我們，應該把整部百科全書拷成一片電腦磁片，並以較少的價格出售。如此一來，不但會大量減低我們的生產成本，也能讓更多的人因負擔得起而購買，但是當時我們卻反對他的建議。」

「你們爲什麼要反對呢？」納森問道。

「因爲我們當時相信，我們銷售的主線是靠龐大的推銷人力挨家挨戶地拜訪客戶。我們保持讓推銷人員能從我們高價的產品中抽取可觀的佣金，這方法行之已久，而且一直很成功，我們也認爲這方法一定能永遠行得通。」

「這方法就是你們的乳酪。」納森道。

「的確是的，而且我們一直想保持這種方法。

「當我回想起發生在我們生意上的事情時，我發覺，我的乳酪不只像是被人搬走而已，而是乳酪它本身似乎就具有生命，終究有油盡燈枯的一天。

「總之，我們公司並沒有在銷售策略上做任何的改變。但我們的競爭對手卻做了改變，所以我們的生意一落千丈，我們正處於一段非常艱困的時期。現在，工業界有個技術上的大改變正在發生，然而，公司裏卻沒有一個人想去處理這個問題。公司的情況看起來並不好，我想我快失業了。」

潔西卡說到這兒時，查理叫道：「眞是有意義的一刻啊！」潔西卡和大家都笑了起來。

查理轉頭向潔西卡說道：「很好，妳已經能坦然地嘲笑自己了。」

法蘭克也和大家分享他的經驗：「這就是我從這故事中所得到的啓示。我一直都把自己弄得太嚴肅了。我注意到，當哈哈終於能坦然地嘲諷自己的想法和做法時，他是如何地改變了自己。怪不得他的名字叫『哈

哈』。」

安琪拉問道：「你認爲猶豫是否改變了自己的想法和做法並找到新的乳酪？」

伊蓮娜答道：「我想他做到了。」

克里則說：「我不這麼認爲。有些人是永遠都不會改變的，但他們也會爲此付出代價。我在醫院工作時，看到很多像猶豫的人，他們認爲乳酪本來就應該屬於他們的。如果有人拿走那乳酪的話，他們就會覺得自己是受害者，並把責任都推到別人身上。因爲他們不能像那些能接受改變並繼續向前行去的人，所以他們的情況往往會越來越糟。」

納森輕聲地、好像自言自語似地說道：「我覺得問題應該是，什麼是我們不該堅持的？什麼又是我們該改變的？」

大家都一語不發地沈寂了一段時間。

納森說：「我們必須承認，當初我看到國內其他地方商業經營型態正在改變時，我希望那情況不會對我們造成任何影響。現在我覺得，當我們能自行改變自己

時，應該先自我改變，這會比事後再試著去反應和調適好得多了。也許，我們所應該做的，就是搬動我們自己的乳酪。」

法蘭克問道：「這是什麼意思呢？」

納森答道：「我不禁在想，如果當初我們把舊商店下的那塊土地賣掉，蓋一間大型、現代化的商店來和最好的量販店競爭，結果會怎樣？」

羅拉說：「也許，這就是哈哈在牆上寫下『品味冒險，並跟著乳酪移動！』這段話的意思吧！」

法蘭克說：「我一直認爲有些東西是不應該改變的。例如：我想保有我自己一些根本的價值觀。現在我才明白，如果當初我早點跟著乳酪移動，現在就不會那麼害怕改變了。」

「麥可，這眞是個有意義的小故事。」班上的懷疑論者瑞查說道。「你是如何將這故事實際地應用在公司的經營上呢？」大家都還不知道，瑞查本身的生活正經歷著一些變化。他最近和他的老婆離婚了，目前他正試著在事業上和教養他十幾歲的孩子間取得一個平衡點。

麥可答道：「你知道嗎？過去我一直以爲我的工作就是處理每天正在發生的問題。但當這些問題發生的時候，我卻不知道我應該把眼界放大、眼光放遠並注意公司發展的大方向，以採取事前的預防和應變措施，而不是不斷地處理眼前的小問題。

「天啊！我當時的確很盡責的在工作崗位上，處理這些每天出現的問題——幾乎是二十四小時全年無休。我變成了一個很無趣的人，每天所做的事，除了工作還是工作，幾乎無法喘息。

「然而，在我第一次聽到《誰搬走了我的乳酪？》這故事以及哈哈如何地去改變自己後，我明白了我的工作不應只是侷限於每天發生的小問題，而是要描繪出所有公司同仁心目中的『新乳酪』，並將這『新乳酪』清楚、眞實地呈現在公司同仁面前。如此，大家才更能享受工作上的變化，並一起分享成功的喜悅。」

安琪拉道：「這作法眞有趣！因爲對我而言，這故事裏最具震撼力的部份，就是當哈哈摒除他的懼怕，並在他心中刻劃找到新乳酪的景象，然後，以更大的喜悅

和更少的懼怕在迷宮裏跑來跑去尋找乳酪，而他也因自己的改變而大有斬獲的那一刻。」

在討論中一直皺著眉頭的瑞查開口說道：「公司的經理一直告訴我說，我們公司需要有所改變。我想她眞正想說的是，我需要改變。但我實在不想去聽她所說的話。我想我是眞的從來都沒有眞正的明白，到底她所試著要我們找尋的『新乳酪』是什麼？或者是我可以從那『新乳酪』得到什麼？」

說到這兒，瑞查臉上閃過一絲的笑意，說道：「我必須承認，我的確很喜歡這個激勵自己的方法，想像你自己看見了那『新乳酪』，並且正享用著它。這種想法使每件事都變得更有希望，它不但能減少我們的懼怕，更增加了我們在接受及創造改變上的興趣。」

他又說：「也許我也該把這觀念用在家庭裏。我的小孩似乎認爲在他們的生活中，沒有什麼事情是需要改變的。如果要他們改變，他們就會不高興。我想原因是出在他們不知道改變後會出現怎樣的情形，所以感到害怕。也許是我沒有爲他們描繪出一幅逼眞的『新乳酪』

的景象，也有可能連我自己也都還沒看到這幅景象。」

說到這兒，許多人不禁想起自己的家庭生活，氣氛也霎時寧靜了下來。

伊蓮娜打破寧靜說道：「大多數的同學談論的都是有關他們的工作。但是當我聽到這故事時，我所想到的是我個人的生活狀況，我認爲我現在的人際關係就像一片長滿了霉菌的『舊乳酪』。」

克里笑著表示同意，並說：「我也是，也許我現在所需要的，就是讓這段不好的關係隨風而逝。」

安琪拉反駁道：「或者，那所謂的舊乳酪只是一些舊的行爲習慣。我們所需要做的，就是擺脫這些惡化我們人際關係的行爲舉措，而不是完全切斷我們和某一個人的人際關係。」

克里回應道：「的確！說得太好了！所謂的新乳酪就是和同一個人發展出新的關係模式。」

瑞查說道：「我開始覺得這比我以前所想的還要具建設性。我喜歡這個擺脫舊的行爲習慣而非結束一段關係的想法。重複同樣的行爲舉止，只會帶來相同的結

果。」

瑞查繼續說道：「也許我該成爲幫助公司改變的人之一，而非因爲害怕改變而辭去工作。如果我早點這麼想、這麼做的話，我很可能已經得到較好的職位。」

現在住在別的城市，特別回來參加這次同學會的貝琪，說道：「當我在這裏聽到剛才的故事和大家的感想時，我眞不禁要譏笑自己。我就是像猶豫這種人，凡事都躊躇遲疑，對於改變則是擔心害怕。我從不知道竟有這麼多人也和我一樣。我好擔心自己會在不自覺中把這種猶豫不決的慣性態度傳染給我的小孩。

「在我細細思考後，我認爲改變的確會帶領你到一個新的、更好的境界，即使你當時並不這麼想。

「我記得我兒子還是中學二年級的學生時，因爲我丈夫的工作，我們必須從伊利諾搬到佛蒙特。我兒子想到要離開他的朋友，就變得非常難過、沮喪。他是個明星游泳健將，但佛蒙特的學校並沒有游泳隊，所以他非常生我們的氣，因爲我們使他必須離開原來熟悉的地方。

「結果，到了佛蒙特後，他瘋狂地愛上了那裏的山區。他參加學校的滑雪隊和登山隊，現在正快樂地住在科羅拉多呢！

「如果我們當初能在熱騰騰的咖啡中，分享這個乳酪的故事，或許家中緊張的壓力、氣氛就會緩和許多。」

潔西卡在這時候說：「我回家後要告訴家人這個故事。我還要問我的小孩，他們認為我像故事中的哪個人物？好鼻鼠、飛腿鼠、猶豫或哈哈，還有他們覺得自己像誰？我們也會討論家裏的『舊乳酪』是什麼？以及我們心目中的『新乳酪』。」

瑞查立刻回應：「那眞是個好主意。」

法蘭克也表示：「我想我會學習哈哈，跟著乳酪移動並享用它。我也打算把這個故事告訴我軍中的朋友，他們正擔心即將要退伍以及退伍後所要面對的變化。這故事一定會引起他們熱切而有趣的討論。」

麥可說：「這正是我們改善生意的方法。我們對於這故事所帶給我們的啓發以及我們如何將這些啓發應用

於我們的工作上，做了許多討論。

「這些討論對我們而言，非常有建設性，因爲我們從這故事中得到一些有趣的小格言，我們用這些小格言來描述我們處理變化的方式，這方法的確對我們工作上的改善非常有效，特別是這個故事漸漸散播至公司裏更多的部門後。」

納森問道：「可不可以說說到底是怎麼一回事呢？」

麥可回答：「事情是這樣的：當我們愈深入地去了解公司的組織時，我們就發現有許多員工認爲他們在公司是比較沒有地位的，而這些員工往往也比較懼怕上級對他們所要求的改變，因此他們也比較反對公司下達改變的政策。

「換句話說，如果改變是被強迫、被要求的，這改變往往也較容易遭到反抗及阻力。」

「爲什麼？」查理仍然無法完全理解。

麥可回答：「因爲在那個時候，公司面臨極大的改變，由於我們的生意一落千丈，導致我們必須裁減部份

人員，包括一些很好的朋友，都會遭到資遣。對所有公司的同仁來說，這都是件很令人難過的事。

「然而，事實上，無論是離開公司另謀他職的人，或是在公司繼續服務的人，都覺得這個乳酪的故事帶給他們莫大的啓示。不但使他們能從不同的角度來看事情，也使他們能以更有技巧的方式來處理問題。

「那些離開公司另謀他職的人表示，重新尋找一份工作，在剛開始的階段的確是有很多困難；但每每回想起這故事就能帶給他們很大的幫助。」

「這故事的哪一部份給他們的幫助最多呢？」安琪拉問道。

麥可答道：「在他們克服了自己的恐懼後，他們告訴我，這故事對他們最大的啓示是讓他們了解到，很多地方都有新的乳酪，只要他們願意去尋找。

「他們說在腦海中勾畫出新乳酪的影像，的確使他們覺得更有希望，這也使他們在面試時表現得更爲出色。有些人還因此得到更好的工作。」

羅拉問道：「那留在你們公司繼續服務的那些人，

對這故事的看法是如何？」

麥可答道：「公司的同仁現在會說：『既然他們搬走了我們的乳酪，我們何不尋找新的乳酪呢？』而不是像以前那樣，一味地批評已經發生的改變。而且公司同仁們這樣的想法，的確替公司節省了不少協調的時間、減少了彼此的壓力。

「不久以後，有些曾經反對改變的員工，看到了改變的好處後，甚至還幫忙製造改變。」

克里說：「你覺得是什麼原因造成這種狀況呢？」

麥可答道：「我認爲這和公司裏存在著的同儕壓力很有關係。

「當上級主管宣佈一項改變的計畫時，在你所服務過的公司中，大多數的人會對這種事做出怎樣的反應呢？大多數的人會說這改變是好主意或壞主意呢？」

「大多數的人會說這是個壞主意。」法蘭克答道。

「的確是這樣。」麥可同意地附和道，並問：「但是，爲什麼會這樣呢？」

查理說：「因爲大多數的人都喜歡穩定和安全感，

他們認爲改變會帶給他們麻煩，甚至不好的影響。如果有人說改變不是個好主意，其他的人往往也會附議。」

「的確，或許這些附議的人並不是眞的認爲改變不是個好主意，但是他們爲了看起來和那個先前提議的人一樣聰明，所以往往會附和他的說法。這就是所謂的同儕壓力，這種壓力常會阻礙公司的改變。」麥可說道。

貝琪又補充道：「在一個家庭裏，這種情況也會出現在父母子女間。」她接著問道：「依你看，在同仁聽了這個乳酪的故事後，情況有什麼不同？」

麥可簡單地答道：「情況是，大家都改變了。因爲沒有人希望自己看起來像猶豫。」

大家聽了都哈哈大笑，包括納森，他說道：「這是個重點。我想我們家應該沒有人希望自己是猶豫，他們很可能會因此改變。你爲什麼不在上次的同學會的時候，就告訴我們這個故事呢？這個故事眞的很有幫助。」

麥可最後又提供了一個經驗：「當我們發現這故事對我們的幫助這麼大，於是我們就把這故事告訴那些我

們希望能和他們在生意上有所合作的人，如果我們知道他們的公司也在處理改變這方面的問題的話。我們會建議他們，也許我們公司就是他們正在找尋的新乳酪；也就是說，我們可能就是能讓他們生意更成功的合作夥伴。這方法的確爲我們帶來許多生意。」

這次的經驗給了潔西卡許多有關生意上的點子，也提醒了她，明天一大早，她還有許多有關銷售的電話要連絡。她看了看手錶，說道：「該是我離開這個乳酪區，去找尋新的乳酪區的時刻了！」

聽了這話，大家相視會心一笑並互道再見。雖然有很多人仍想繼續聊這話題，但他們眞的有其他的事必須要離開。他們臨走前，又再一次地向麥可道謝，因爲他提供了他們這麼好的故事。

麥可說：「我非常高興你們都覺得這個故事對你們非常有幫助，我也希望你們很快就有機會能和別人分享這故事。」

把你的變化心得寫下來！

◎ **以前你遇到變化時，會……**

◎ **讀完【誰搬走我的乳酪？】之後，你再遇到變化時，會……**

優質觀點系列
CB010

2000年看「乳酪 」2001年看「紅蘋果」

奧林文化繼【誰搬走了我的乳酪？】之後的另一強力推薦書！

定價：180元

尋找快樂的紅蘋果

作者：Carol謝

混亂的年代中最清新的一個心靈寓言故事
一個你會想跟你最親密的人分享的小故事
看過乳酪的人都說：「你絕對不能錯過紅蘋果！」

專家狐認為有名才會快樂　大嘴麻雀要大家都重視她才會快樂
賣力牛覺得可以不勞而獲最快樂　嬌嬌羊要愛情才會快樂
慢慢豬要跟上大家的步伐才會快樂　好奇兔要出去闖闖才會快樂
一群住在快樂園的小動物們　各自有自己以為的快樂
大家都在尋找可以帶來快樂的紅蘋果　可是沒人看過紅蘋果
大家就只能各憑想像找囉　於是　一個冒險的　心靈的　旅行　就開始了
透過這個有趣的寓言故事 請你也一起來想想
你的紅蘋果是什麼？你到哪裡去尋找呢？

奧林文化事業有限公司

地　　址：105 台北市南京東路5段38-1號11樓
電　　話：(02)2746-9169　傳真：(02)2746-9007
網　　址：www.olbook.com.tw
電子信箱：olbooks@ms23.hinet.net
　　　　　ollin@olbook.com.tw
郵撥帳號：19175904 奧林文化事業有限公司

◎ 金石堂 何嘉仁 新學友 誠品 暨全省各大書店熱烈販售中
◎ 團購另有優惠　請洽：02-27469169分機11　　洪小姐

奧林文化　信用卡專用訂購單

本人欲訂購下列書籍：　　　　　　　　訂購日期：　　年　　月　　日

書　　　　名	數　量（本）	定　價
訂 購 總 金 額	NT$	

➸單本書籍９折優惠，未滿 600 元請另加 30 元郵資

訂購人姓名：＿＿＿＿＿＿＿＿＿＿＿＿(請以正楷填寫)

持卡人簽名：＿＿＿＿＿＿＿＿＿＿＿＿(與信用卡簽名同字樣)

發卡銀行：＿＿＿＿＿＿＿＿＿＿＿＿

信用卡別：□VISA　□MASTER　□JCB　□聯合

信用卡號：＿＿＿＿＿＿＿＿＿＿＿＿

信用卡有效期限：西元＿＿＿＿年＿＿＿＿月

身分證字號：＿＿＿＿＿＿　生日：＿＿年＿＿月＿＿日

連絡電話：(O)＿＿＿＿＿＿　(H)＿＿＿＿＿＿

收書地址：＿＿＿＿＿＿＿＿＿＿＿＿

若需開立三聯式發票，請註明抬頭及統編：＿＿＿＿＿＿

＿＿＿＿＿＿＿＿＿＿＿＿

授權號碼：＿＿＿＿＿＿＿＿＿＿＿＿(本欄讀者不需填寫)

➸請填妥本訂購單，傳真至(02)2746-9007

讀者服務電話：(02)2746-9169　轉客戶服務部

優質觀點系列4

誰搬走了我的乳酪？

Who Moved My Cheese？

作者：史賓賽・強森
譯者：游羽蓁
總編輯：謝淑美
責任編輯：林禮寧

發行人：賴光煜
出版者：奧林文化事業有限公司
台北市南京東路5段38-1號11樓
TEL：(02)2746-9169(代表號)
FAX：(02)2746-9007
郵撥帳號：19175904
帳戶名：奧林文化事業有限公司
網　址：www.olbook.com.tw
電子信箱：olbooks@ms23.hinet.net
ollin@olbook.com.tw
行政院新聞局局版北市業字第1402號

This edition published by arrangement with G.P. Putnams Sons's menber of Penguin Putnam Inc.
本書中文版權經由大蘋果版權代理公司取得

總經銷：黎銘圖書有限公司
地址：台北縣三重市大智街139號
TEL ：(02) 29818089
FAX ：(02) 29813049
法律顧問：石宜琳律師

初版一刷：1999年 4 月
初版二刷：1999年7月
定價：新台幣 160 元
Printed in Taiwan
如缺頁或破損，煩請寄回更換
ISBN：957-0391-01-4

國家圖書館出版品預行編目資料

誰搬走了我的乳酪？／史賓賽・強森（Spencer Johnson）著；游羽蓁譯－－初版－－臺北市；奧林文化，1999〔民 88〕

面；　公分　－－（優質觀點系列：4）

ISBN 957－0391－01－4（平裝）

1. 行爲改變術

178. 3　　　　　　　　　　　　88004339

奧林文化事業有限公司讀者回函

謝謝您在眾多書海中，選購了奧林出版公司的書。

為了加強對讀者的後續服務，請填妥下列問卷，直接剪下寄回（免貼郵票）或傳真回 02-27469007 ，日後您將會不定期收到我們的新書書訊，以及我們所舉辦的各項活動優先參加權。謝謝您對我們的支持！

◎您購買的書名：________________

姓名：________________ 性別：______

地址：________________________________

電話：________________ 出生年月日：________________

就讀學校或服務單位：________________

問題：

1. 您為什麼會購買本書？

□封面設計 □書名 □作者 □內容 □版面編排

2. 您從何得知本書的訊息？（可複選）

□書店 □廣告 DM □報紙廣告 □雜誌書訊 □廣播 □電視

□親友推薦 □其他____________

3. 您通常以何種方式購書？

□逛書店 □信用卡 □劃撥 □傳真 □網路 □團購 □銷售員推薦

□其他____________

4. 您覺得本書的價格如何？

□偏高 □合理 □偏低 □其他____________

5. 您希望我們多出版哪一類型的書？（可複選）

□羅曼史小說 □心靈成長 □勵志短文 □理財投資 □食譜 □旅遊書

□人文關懷 □健康書 □其他____________

6. 通常您買書會優先考慮什麼因素？（可複選）

□書名 □作者 □內容 □有無贈品 □價格 □名人推薦 □版面編排

□其他____________

7. 您會推薦本書給親友嗎？

□會 □不會 □沒意見 □其他____________

8. 您對奧林文化的建議：

____

____

____

廣　告　回　信
臺灣北區郵政管理局登記證
第 11690 號

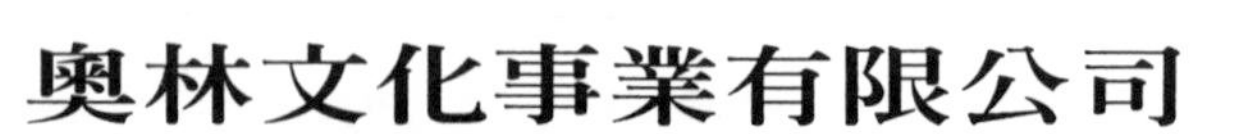

地址：台北市南京東路五段38-1號11樓
電話：02-27469169（代表號）
郵撥帳號：19175904　奧林文化事業有限公司